LES ANIMAUX DE LA MER

Conception
Émilie BEAUMONT

Images
Bernard ALUNNI
Marie-Christine LEMAYEUR

FLEURUS

FLEURUS ÉDITIONS, 15-27, rue Moussorgski, 75018 PARIS
www.fleuruseditions.com

DE GRANDS CÉTACÉS

On distingue les cétacés qui ont des fanons, plus ou moins longs, et les cétacés qui portent des dents. Tous sont des mammifères. Ils donnent naissance à un petit qui leur ressemble et qu'ils allaitent. Ils respirent avec des poumons par une sorte de narine, appelée un évent, au-dessus de la tête. Ils soufflent l'air vicié dans un nuage de vapeur d'eau visible de loin. Les grands cétacés ont été beaucoup chassés, notamment les baleines, pour leur graisse. Aujourd'hui, les espèces sont protégées.

De drôles de dents

La mâchoire supérieure des baleines est ornée de lames très dures appelées fanons. En ouvrant la bouche, elles ingurgitent quelques mètres cubes d'eau. Puis elles gonflent la langue et repoussent l'eau à travers les fanons, qui jouent le rôle de passoire en retenant le krill ou les poissons.

La baleine et son petit

La baleine a un petit tous les 2 ou 3 ans qu'elle allaite pendant 6 à 12 mois en projetant dans sa bouche du lait sous pression contenu dans une mamelle. Le petit remonte régulièrement à la surface pour respirer.

La baleine bleue

C'est le plus grand de tous les mammifères. Elle peut mesurer jusqu'à 30 m de long et peser plus de 100 tonnes ! En été, elle nage dans les eaux polaires, où il y a de la nourriture en abondance, et l'hiver elle préfère les eaux plus chaudes des tropiques, où elle se reproduit. Elle est en général seule ou avec son petit, qui pèse 7 tonnes à la naissance !

Le krill, qui pèse plusieurs millions de tonnes, est constitué de milliers de crustacés mesurant chacun quelques centimètres. C'est la nourriture des géants !

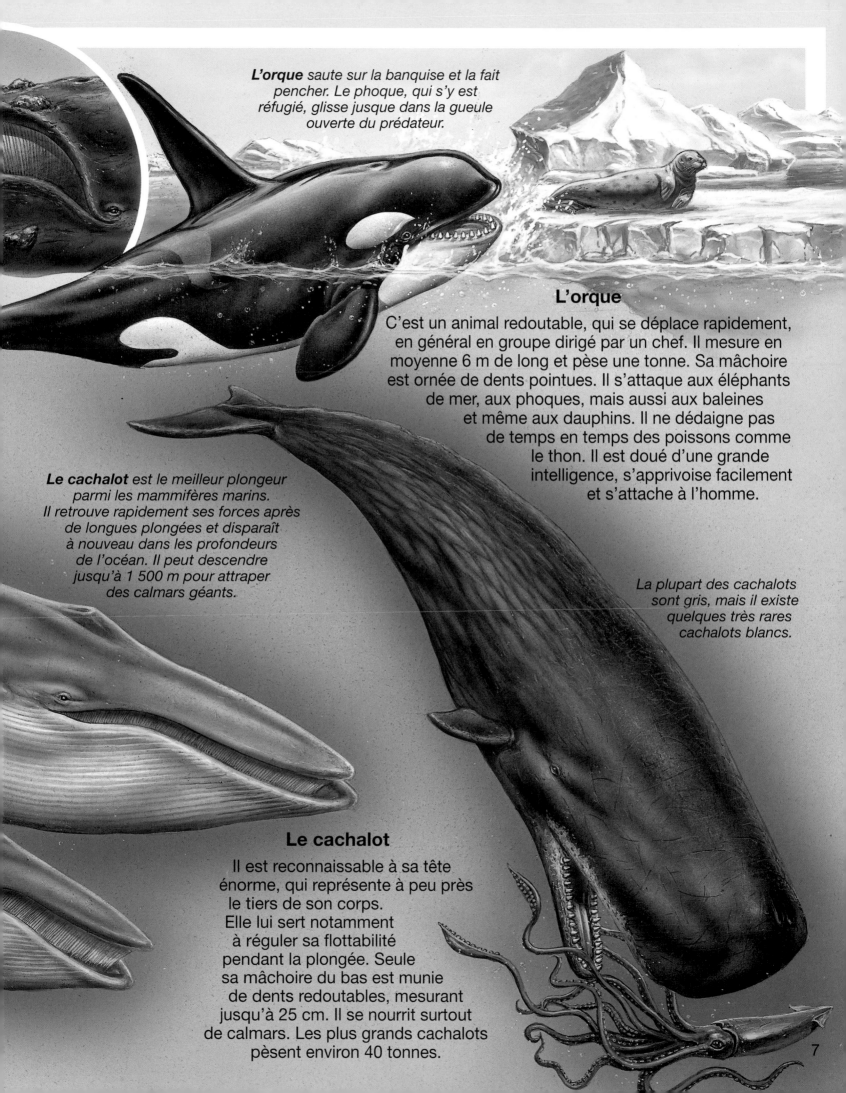

L'orque saute sur la banquise et la fait pencher. Le phoque, qui s'y est réfugié, glisse jusque dans la gueule ouverte du prédateur.

L'orque

C'est un animal redoutable, qui se déplace rapidement, en général en groupe dirigé par un chef. Il mesure en moyenne 6 m de long et pèse une tonne. Sa mâchoire est ornée de dents pointues. Il s'attaque aux éléphants de mer, aux phoques, mais aussi aux baleines et même aux dauphins. Il ne dédaigne pas de temps en temps des poissons comme le thon. Il est doué d'une grande intelligence, s'apprivoise facilement et s'attache à l'homme.

Le cachalot est le meilleur plongeur parmi les mammifères marins. Il retrouve rapidement ses forces après de longues plongées et disparaît à nouveau dans les profondeurs de l'océan. Il peut descendre jusqu'à 1 500 m pour attraper des calmars géants.

La plupart des cachalots sont gris, mais il existe quelques très rares cachalots blancs.

Le cachalot

Il est reconnaissable à sa tête énorme, qui représente à peu près le tiers de son corps. Elle lui sert notamment à réguler sa flottabilité pendant la plongée. Seule sa mâchoire du bas est munie de dents redoutables, mesurant jusqu'à 25 cm. Il se nourrit surtout de calmars. Les plus grands cachalots pèsent environ 40 tonnes.

DES CÉTACÉS PLUS PETITS

Les mammifères marins se sont très bien adaptés à la vie aquatique. On dit de leur corps allongé qu'il est hydrodynamique, c'est-à-dire qu'il ne présente aucun obstacle au glissement de l'eau : la peau est lisse, avec parfois des rainures, et les mamelles ne dépassent pas. Les cétacés émettent des sons pour communiquer, se diriger ou localiser des proies. On appelle ce système : l'« écholocalisation ». Les cétacés sont de grands plongeurs et d'impressionnants sauteurs. Ils offrent de magnifiques ballets nautiques en bondissant.

La peau du dauphin est très douce. On croirait toucher de la soie quand on la caresse. D'ailleurs, les dauphins aiment se faire des caresses entre eux.

À la naissance du petit dauphin, c'est la queue qui vient en premier.

La naissance du bébé dauphin

Les dauphins s'accouplent en général au printemps. Lors de la naissance du petit, 12 mois plus tard, la mère est aidée par une autre femelle, qui porte le petit jusqu'à la surface pour qu'il respire. Puis la mère l'allaite pendant 9 mois. Une femelle peut avoir des petits dès l'âge de 8 ans.

Le marsouin est un cétacé à dents. Il se montre peu mais échoue souvent. Il n'a pas de bec. Il est petit, moins de 2 m. Il se fait souvent prendre dans les filets des pêcheurs.

Le grand dauphin ou tursiops a de petits yeux malins et semble avoir toujours le sourire.

Le dauphin commun est le plus connu des cétacés. Il n'hésite pas à s'approcher des côtes. C'est un nageur extraordinaire.

Le béluga ou baleine blanche naît brun. Peu à peu, sa peau devient blanche. En été, les bélugas se retrouvent par centaines dans les fleuves. C'est un spectacle impressionnant. Le béluga a des expressions très marquées : on dirait qu'il sourit.

Les cris des dauphins

Les dauphins communiquent en utilisant un « langage » très riche composé de cris et de sifflements. Des expériences ont montré que certains sons leur permettent de se diriger et de détecter leurs proies.

Le dauphin d'eau douce

Dans les fleuves d'Asie et d'Amérique du Sud vivent des dauphins. Ils voient très mal. Ils ont un bec allongé, un melon frontal développé et le cou flexible.

Le dauphin, ami de l'homme

On dresse facilement un dauphin en captivité. Il donne alors de merveilleux spectacles et semble se prêter avec joie à ces numéros. Sa queue très musclée lui permet de se maintenir hors de l'eau et même de se déplacer à reculons tout en gardant le corps droit.

LA PIEUVRE

La pieuvre, ou poulpe, a été décrite par de grands écrivains comme un monstre capable d'entraîner les marins au fond des mers. Il existe effectivement des pieuvres géantes très puissantes, mais elles sont rares. Cet animal au corps mou est en général craintif et s'enfuit très rapidement devant le danger. Il allonge son corps pour se faufiler dans des passages très étroits. Il change de couleur et de forme pour échapper à ses ennemis. La pieuvre est solitaire et sédentaire, c'est-à-dire qu'elle habite toujours au même endroit. Elle ne sort que pour chasser, essentiellement des crustacés.

Combat contre une murène

La pieuvre n'hésite pas à se battre pour l'acquisition d'une cachette, même contre les murènes. Ces combats sont fréquents mais finissent rarement en faveur de la pieuvre, qui succombe aux morsures de la murène. Le combat est plus équitable avec une autre pieuvre. La perdante, étouffée, devient grise, puis blanche, alors que la gagnante est rouge écarlate.

La chasse

Sortie de sa cachette pour chasser, la pieuvre se déplace en rampant sur le sol à l'aide de ses huit tentacules. Elle est aussi une bonne nageuse : elle réussit à attraper des poissons en mouvement. Très habile, elle parvient à ouvrir les pièges à langoustes. Elle saisit sa proie avec ses tentacules et la porte à sa bouche, qui est munie d'un bec tranchant.

Les ventouses qui garnissent les tentacules de la pieuvre lui servent à reconnaître ce qu'elle touche. Ainsi, en tâtant, elle fait la différence entre de la nourriture et un objet. Elle sait même si cet objet est tranchant ou pas.

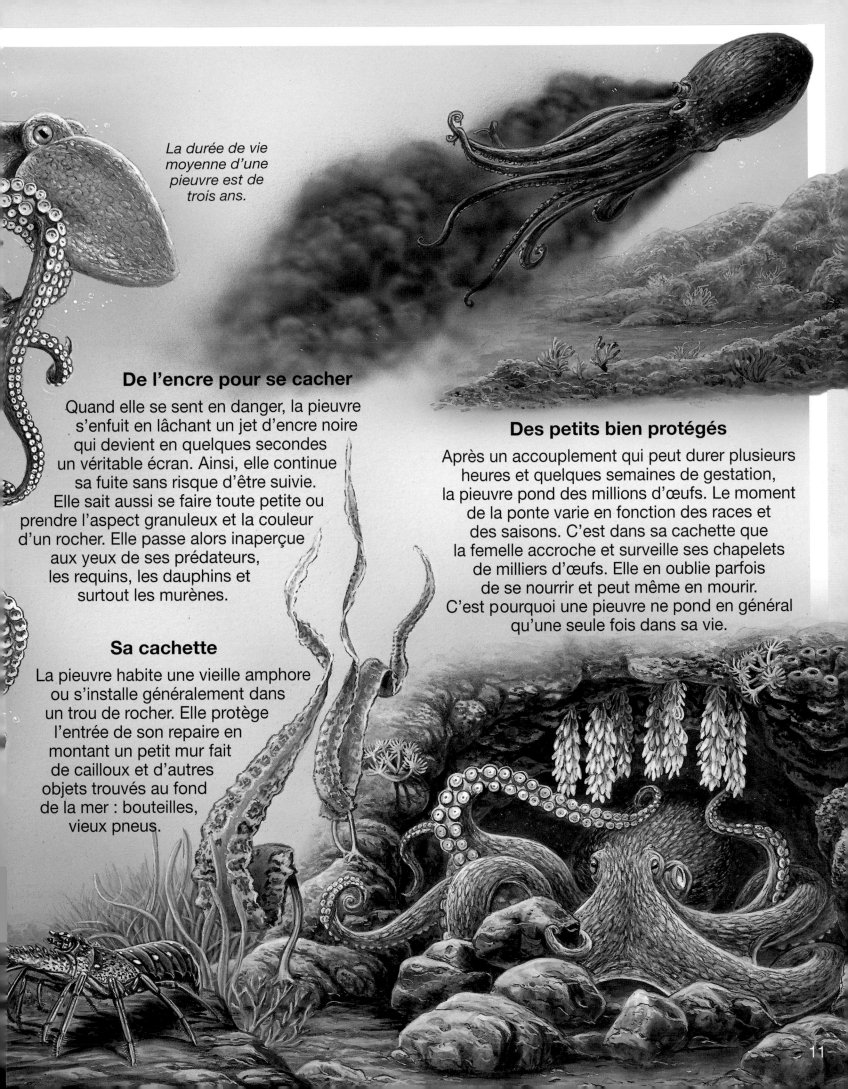

La durée de vie moyenne d'une pieuvre est de trois ans.

De l'encre pour se cacher

Quand elle se sent en danger, la pieuvre s'enfuit en lâchant un jet d'encre noire qui devient en quelques secondes un véritable écran. Ainsi, elle continue sa fuite sans risque d'être suivie. Elle sait aussi se faire toute petite ou prendre l'aspect granuleux et la couleur d'un rocher. Elle passe alors inaperçue aux yeux de ses prédateurs, les requins, les dauphins et surtout les murènes.

Sa cachette

La pieuvre habite une vieille amphore ou s'installe généralement dans un trou de rocher. Elle protège l'entrée de son repaire en montant un petit mur fait de cailloux et d'autres objets trouvés au fond de la mer : bouteilles, vieux pneus.

Des petits bien protégés

Après un accouplement qui peut durer plusieurs heures et quelques semaines de gestation, la pieuvre pond des millions d'œufs. Le moment de la ponte varie en fonction des races et des saisons. C'est dans sa cachette que la femelle accroche et surveille ses chapelets de milliers d'œufs. Elle en oublie parfois de se nourrir et peut même en mourir. C'est pourquoi une pieuvre ne pond en général qu'une seule fois dans sa vie.

LES POISSONS

Les poissons sont des animaux à sang froid qui se plaisent dans l'eau où il n'y a pas de brusques changements de température. Lors des variations saisonnières, certains entreprennent des migrations vers des eaux plus clémentes. Dans l'eau, les corps n'ont pas de poids ou très peu, c'est pourquoi la taille a peu d'importance : le requin-baleine nage aussi facilement que le thon. D'ailleurs, les poissons grandissent pendant presque toute leur vie. La famille des poissons est immense. Ils habitent toutes les mers, toutes les profondeurs. Il y a des poissons de toutes les formes, de toutes les couleurs.

Les narines
L'odorat est très développé chez la majorité des poissons. On pense en revanche qu'il n'ont pas de goût. Les aliments passent directement dans l'estomac.

Les yeux
La majorité des poissons ont les yeux de part et d'autre de la tête, ce qui leur offre un large champ de vision.

L'arête
C'est la colonne vertébrale du poisson.

La bouche
Elle est très bien adaptée au milieu dans lequel vit chaque poisson. On observe de ce fait des formes bizarres : bouche en tuyau, en bec, sur le côté, sur le dessous...

DES FORMES, DES TAILLES

Le mouvement de godille

Afin d'avancer dans l'eau incompressible, le poisson doit repousser le liquide sur ses flancs. Il fonce, tête la première, en remuant la tête de gauche à droite. L'eau glisse sur ses flancs et se referme sur sa queue, ce qui l'aide dans sa progression. Ce mouvement est appelé mouvement de godille.

Requin-baleine

Raie manta

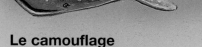

Le camouflage

Afin de se dissimuler aux yeux d'un prédateur ou d'une proie, les petits poissons ont adopté les nuances de couleurs et de formes de leur milieu de vie. Certains peuvent même changer d'aspect en fonction du décor du moment. Les couleurs vives de certains poissons se fondent dans les massifs de corail. C'est aussi un moyen de séduction et parfois le reflet d'une émotion !

Poisson-pierre

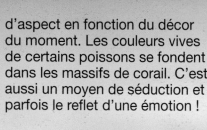

Chelmon

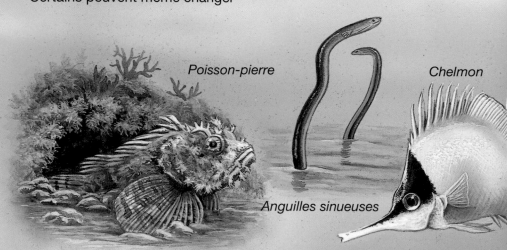

Anguilles sinueuses

La vessie natatoire
C'est une poche remplie de gaz qui permet au poisson de résister à la pression de l'eau et de demeurer à la profondeur qui lui convient.

Les écailles
Elles protègent le corps comme une armure et grandissent avec le poisson. Elles ont différentes formes selon les espèces. Le corps du poisson est enduit de mucus, qui agit comme un vernis contre les bactéries et qui l'aide à glisser dans l'eau.

Les branchies
Le poisson avale de l'eau. Les feuillets de ses branchies captent l'oxygène. L'eau est ensuite rejetée. L'opercule protège les branchies.

Les nageoires
Les différentes nageoires d'un poisson ont chacune un rôle particulier : avancer, se diriger, garder l'équilibre.

La ligne latérale
C'est le sixième sens des poissons, qui mesure la vitesse d'écoulement de l'eau sur leurs flancs. C'est comme s'ils voyaient les obstacles.

La queue
Elle est très musculeuse et participe à la locomotion avec les nageoires.

ES COULEURS TRÈS VARIÉES

Congre   *Chauve-souris*   *Diodon*   *Zanclus cornutus*   *Poisson-clown*

Hippocampe

La bouche
Le poisson, qui n'a pas de membres pour s'aider, a donc adapté la forme de sa bouche pour mieux attraper sa nourriture.

Le poisson-perroquet a un bec et des dents soudées qui détachent et écrasent les coraux. Le carrelet, qui est aplati sur le flanc, déplace sa bouche entière sur le côté pour mieux saisir ses proies.

Poisson qui vole, qui rampe ou qui saute
Tous les poissons ne restent pas dans l'eau ! Quelques espèces se plaisent au-dehors : le poisson volant s'élance et plane au-dessus des vagues.

L'anguille échouée rampe sur le sol pour regagner l'eau. Le périophtalme se dresse sur ses nageoires, grimpe sur les troncs des palétuviers et s'y prélasse.

Poisson-perroquet

Carrelet

Anguille

Poisson volant

Périophtalme

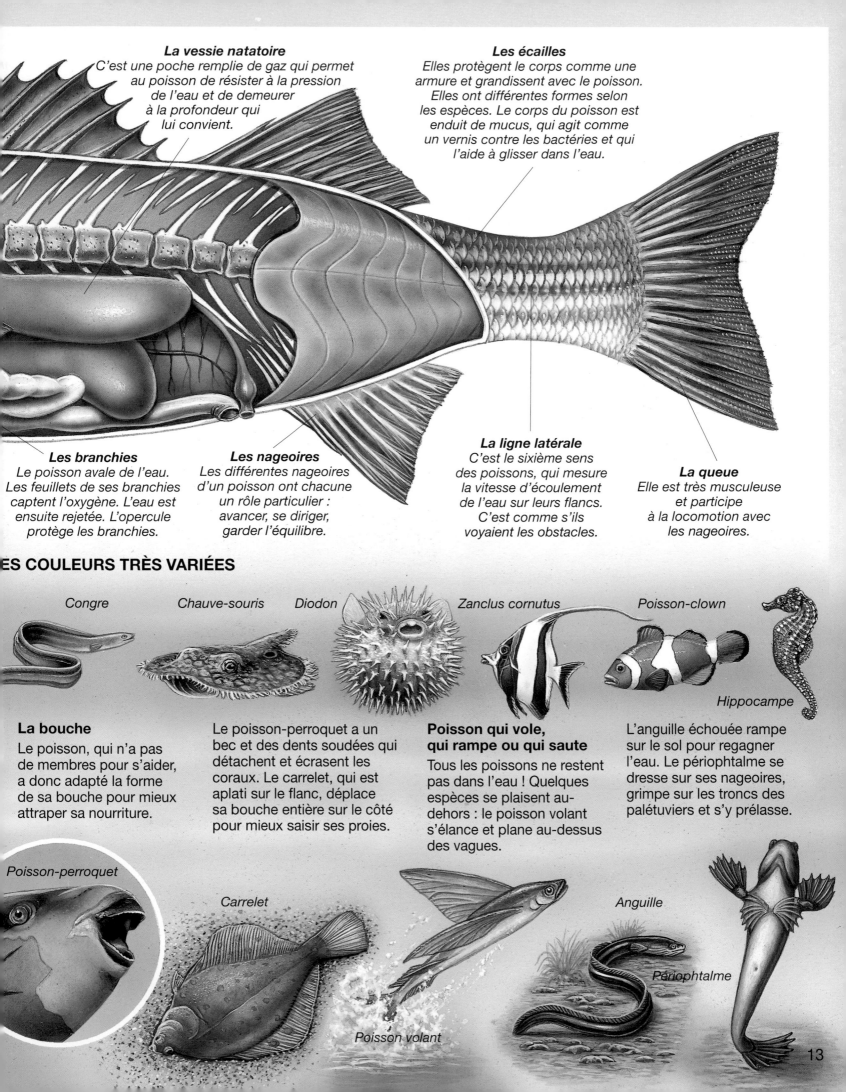

13

LES POISSONS CONNUS

Sur les marchés, on trouve de nombreuses variétés de poissons. Mais cela ne représente que quelques centaines des espèces sur les 20 000 qui sont comestibles. On pêche le long des côtes ou en haute mer des millions de tonnes de poisson par an. Cette pêche intensive, avec de grands filets qui capturent sans distinction jeunes et adultes, est nuisible à la reproduction des espèces. Sur des bateaux-usines, on prépare et on congèle directement les poissons.

Les sardines

Ces poissons, au dos bleu-vert et au ventre argenté, se déplacent en banc à la belle saison. On les pêche alors pour les consommer frais ou à l'huile.

Les maquereaux

Le dos des maquereaux est zébré de noir. Ils se déplacent souvent en banc, se rapprochant des côtes au printemps et en été. Leur chair est très appréciée.

La sole et le turbot

Ce sont des poissons plats, qui se couchent sur les fonds marins et se déplacent en ondulant. Ils s'enterrent dans le sable pour se dissimuler aux yeux de leurs prédateurs.

La morue

Pêchée dans les eaux froides, elle est vendue fraîche sous le nom de cabillaud. Au Portugal, on la sale pour la conserver et la cuisiner. Elle pond jusqu'à 10 millions d'œufs.

Sole

Turbot

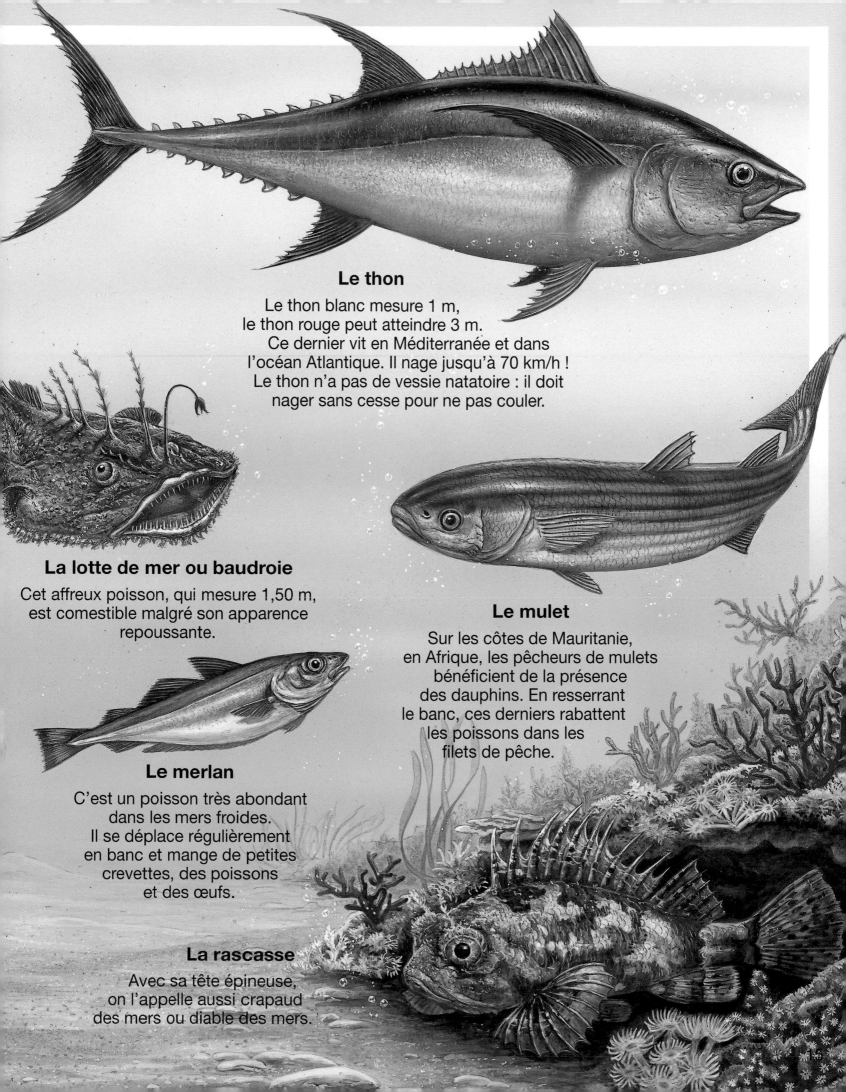

Le thon

Le thon blanc mesure 1 m,
le thon rouge peut atteindre 3 m.
Ce dernier vit en Méditerranée et dans
l'océan Atlantique. Il nage jusqu'à 70 km/h !
Le thon n'a pas de vessie natatoire : il doit
nager sans cesse pour ne pas couler.

La lotte de mer ou baudroie

Cet affreux poisson, qui mesure 1,50 m,
est comestible malgré son apparence
repoussante.

Le mulet

Sur les côtes de Mauritanie,
en Afrique, les pêcheurs de mulets
bénéficient de la présence
des dauphins. En resserrant
le banc, ces derniers rabattent
les poissons dans les
filets de pêche.

Le merlan

C'est un poisson très abondant
dans les mers froides.
Il se déplace régulièrement
en banc et mange de petites
crevettes, des poissons
et des œufs.

La rascasse

Avec sa tête épineuse,
on l'appelle aussi crapaud
des mers ou diable des mers.

DRÔLES DE POISSONS

Le monde sous-marin est peuplé de créatures bizarres. D'étranges poissons vivent dans les grandes profondeurs, complètement dans l'obscurité. Au fil des siècles, ils se sont adaptés à leur milieu de vie particulièrement difficile, au manque de lumière, de chaleur et de nourriture. Leur apparence est très impressionnante. Dans les mers chaudes, les petits poissons des récifs de corail ont imaginé des astuces pour se défendre. Beaucoup d'autres possèdent sous un aspect magnifique des nageoires empoisonnées.

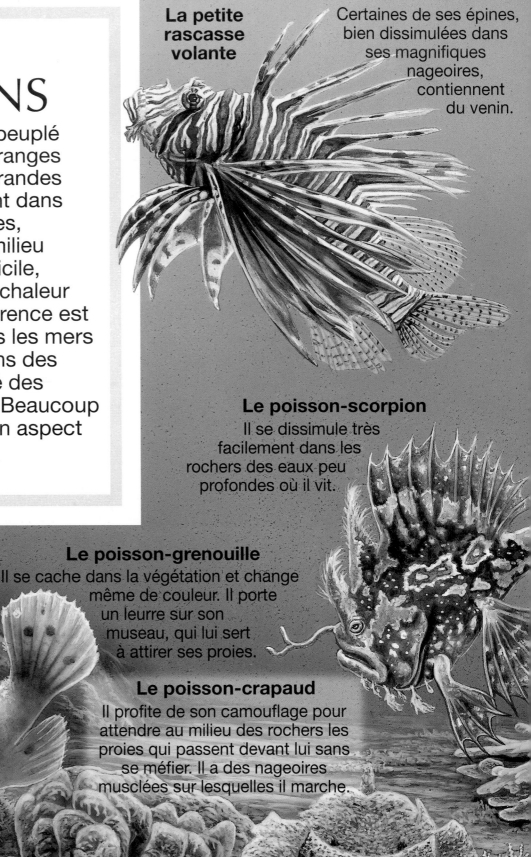

La petite rascasse volante

Certaines de ses épines, bien dissimulées dans ses magnifiques nageoires, contiennent du venin.

Le poisson-scorpion

Il se dissimule très facilement dans les rochers des eaux peu profondes où il vit.

Le poisson-grenouille

Il se cache dans la végétation et change même de couleur. Il porte un leurre sur son museau, qui lui sert à attirer ses proies.

Le poisson-crapaud

Il profite de son camouflage pour attendre au milieu des rochers les proies qui passent devant lui sans se méfier. Il a des nageoires musclées sur lesquelles il marche.

Le poisson-porc-épic

Il doit son nom à sa méthode de défense. Il avale de l'eau jusqu'à doubler ou tripler son volume et il redresse ses épines. Si ça ne suffit pas à intimider son adversaire, il dispose aussi d'un virulent poison.

Le poisson-globe

Il est enveloppé dans une carapace osseuse. Il a un bec très dur qui lui permet de manger de petits crustacés.

Le poisson-vache

On le nomme ainsi en raison des petites cornes qu'il porte sur la tête. Son corps est couvert d'une carapace faite de plaques osseuses.

Le poisson-vipère

Dans les eaux obscures et profondes, il attire ses rares proies avec de petites lumières qui ornent son corps. Il doit son nom à ses longues dents en forme d'aiguilles.

Le poisson-vipère

Le poisson barbu

Il nage lentement dans des eaux tropicales peu profondes. Il a un venin redoutable.

DES POISSONS MIGRATEURS

Les poissons de haute mer se déplacent sur de grandes distances au gré des courants, en fonction des températures et des ressources de nourriture. Mais certaines espèces entreprennent de spectaculaires migrations, extraordinaires pèlerinages de milliers de kilomètres, afin de se reproduire. C'est un phénomène encore mal compris. Des espèces quittent la mer pour des cours d'eau douce et retrouvent dans les étangs et ruisseaux leur lieu de naissance. D'autres, au contraire, rejoignent la mer.

La civelle

Lorsque les œufs éclosent, les larves d'anguille se laissent porter par un courant marin. Après un long voyage, elles arrivent près des côtes. Elles sont devenues des civelles de 7 à 8 cm de long, qui remontent ensuite les rivières.

Civelles

Le saumon

Le saumon, né en eau douce, gagne la mer où il passe son temps à manger et à grossir. Au bout de quelques années, il fait le voyage dans l'autre sens pour se reproduire. Il reconnaît sa rivière natale à son odeur. Rien n'arrête un saumon qui cherche sa frayère (c'est-à-dire l'endroit où il doit se reproduire). Il saute un barrage jusqu'à épuisement et, si sa rivière est obstruée, il emprunte un autre cours d'eau. Le saumon ne se nourrit plus, il se blesse et s'affaiblit peu à peu. Mâles et femelles survivent rarement à la reproduction.

Le saumon effectue des bonds extraordinaires, sautant des obstacles de 3,50 m. Pour faciliter le passage des barrages, on installe des échelles, qui sont des bacs disposés en escalier.

Saumons

Le saumon change de forme et de couleurs pendant sa migration. La mâchoire du mâle se déforme en crochet.

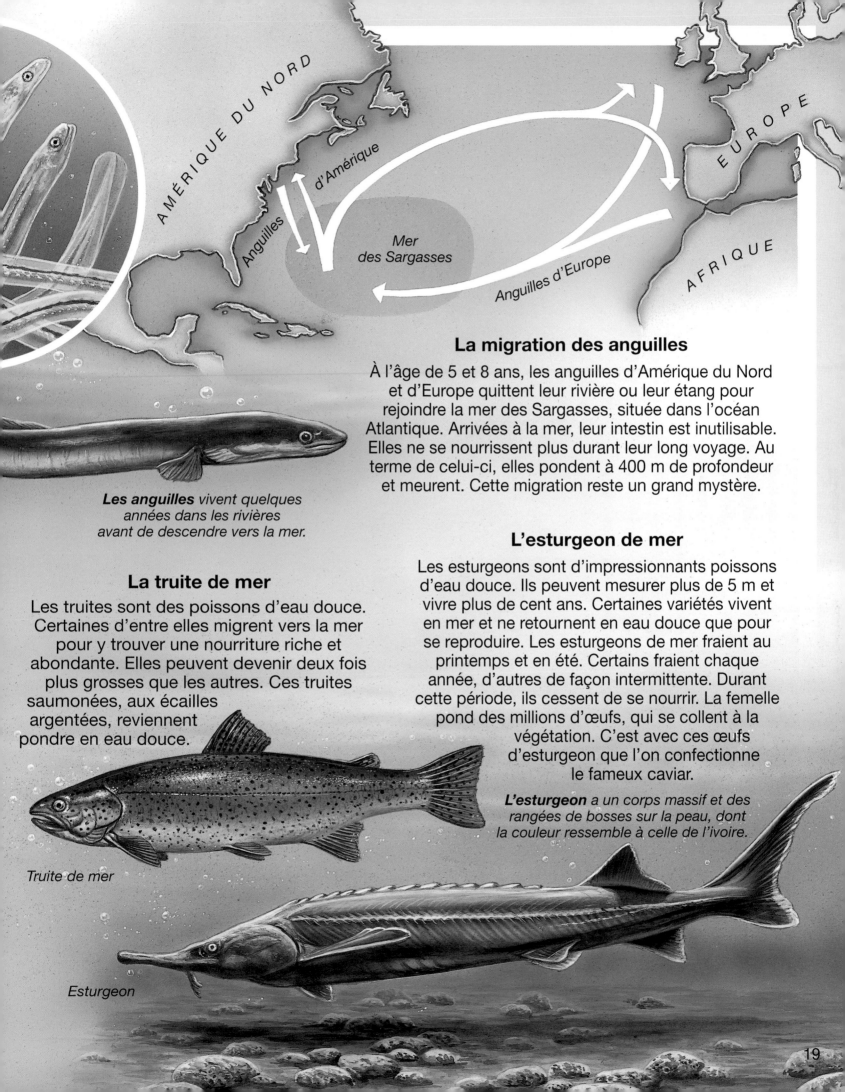

AMÉRIQUE DU NORD

EUROPE

Anguilles d'Amérique

Mer des Sargasses

Anguilles d'Europe

AFRIQUE

La migration des anguilles

À l'âge de 5 et 8 ans, les anguilles d'Amérique du Nord et d'Europe quittent leur rivière ou leur étang pour rejoindre la mer des Sargasses, située dans l'océan Atlantique. Arrivées à la mer, leur intestin est inutilisable. Elles ne se nourrissent plus durant leur long voyage. Au terme de celui-ci, elles pondent à 400 m de profondeur et meurent. Cette migration reste un grand mystère.

Les anguilles vivent quelques années dans les rivières avant de descendre vers la mer.

L'esturgeon de mer

Les esturgeons sont d'impressionnants poissons d'eau douce. Ils peuvent mesurer plus de 5 m et vivre plus de cent ans. Certaines variétés vivent en mer et ne retournent en eau douce que pour se reproduire. Les esturgeons de mer fraient au printemps et en été. Certains fraient chaque année, d'autres de façon intermittente. Durant cette période, ils cessent de se nourrir. La femelle pond des millions d'œufs, qui se collent à la végétation. C'est avec ces œufs d'esturgeon que l'on confectionne le fameux caviar.

La truite de mer

Les truites sont des poissons d'eau douce. Certaines d'entre elles migrent vers la mer pour y trouver une nourriture riche et abondante. Elles peuvent devenir deux fois plus grosses que les autres. Ces truites saumonées, aux écailles argentées, reviennent pondre en eau douce.

L'esturgeon a un corps massif et des rangées de bosses sur la peau, dont la couleur ressemble à celle de l'ivoire.

Truite de mer

Esturgeon

LES REQUINS

Quand on parle de requins, on pense tout de suite à d'effrayants monstres de grande taille. C'est vrai qu'ils ont mauvaise réputation, mais, sur les 370 espèces existantes, 30 sont réellement dangereuses pour l'homme. Les deux plus grands spécimens, le requin-baleine et le requin-pèlerin, ne mangent que des animaux microscopiques ou de petits poissons. Les requins les plus petits mesurent moins de 30 cm, les plus grands dépassent 20 m de long. Tous ont un odorat très développé, beaucoup ont une bonne vue. Certains pondent des œufs, d'autres mettent bas des petits déjà formés.

Le grand requin blanc, autrement baptisé « mangeur d'homme », est un prédateur vorace. Il attaque par surprise mammifères marins, tortues, calmars, hommes. Il mord sa proie, la laisse mourir et ensuite la dévore.

Le requin bleu

C'est un des requins les plus connus, sans doute le plus beau de tous par sa couleur et par sa forme. Il mesure 4 m en moyenne mais peut atteindre 7 m de long. Il vit surtout en solitaire dans les mers tropicales et chaudes.

Curieux, le requin bleu nage en décrivant des cercles autour d'une proie éventuelle tout en l'observant. Peu à peu, il accélère et se rapproche. Quand il attaque, rien ne peut l'arrêter. Il est dangereux et sa mâchoire est redoutable.

La mâchoire des requins

La denture des requins est extraordinaire. Elle est constituée de plusieurs rangées de dents, qui sont remplacées quand elles sont abîmées. Les requins peuvent donc toujours compter sur des dents acérées. Qu'elles soient de longs poignards, de courts rasoirs ou des broyeurs aplatis, elles sont parfaitement adaptées à l'alimentation du grand prédateur ou du gros mangeur de plancton.

Les requins ont une allure magnifique, une forme allongée, très gracieuse. Mais ils ont également un air sinistre.

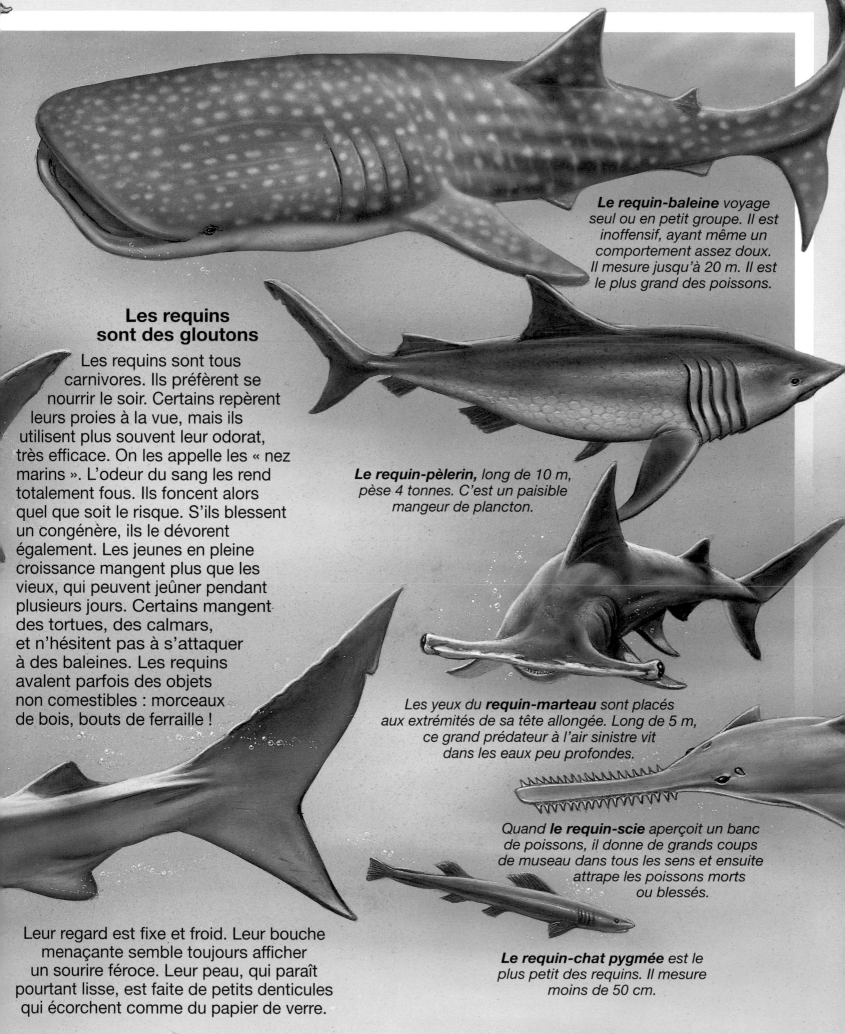

Le requin-baleine voyage seul ou en petit groupe. Il est inoffensif, ayant même un comportement assez doux. Il mesure jusqu'à 20 m. Il est le plus grand des poissons.

Les requins sont des gloutons

Les requins sont tous carnivores. Ils préfèrent se nourrir le soir. Certains repèrent leurs proies à la vue, mais ils utilisent plus souvent leur odorat, très efficace. On les appelle les « nez marins ». L'odeur du sang les rend totalement fous. Ils foncent alors quel que soit le risque. S'ils blessent un congénère, ils le dévorent également. Les jeunes en pleine croissance mangent plus que les vieux, qui peuvent jeûner pendant plusieurs jours. Certains mangent des tortues, des calmars, et n'hésitent pas à s'attaquer à des baleines. Les requins avalent parfois des objets non comestibles : morceaux de bois, bouts de ferraille !

Le requin-pèlerin, long de 10 m, pèse 4 tonnes. C'est un paisible mangeur de plancton.

Les yeux du **requin-marteau** sont placés aux extrémités de sa tête allongée. Long de 5 m, ce grand prédateur à l'air sinistre vit dans les eaux peu profondes.

Quand **le requin-scie** aperçoit un banc de poissons, il donne de grands coups de museau dans tous les sens et ensuite attrape les poissons morts ou blessés.

Leur regard est fixe et froid. Leur bouche menaçante semble toujours afficher un sourire féroce. Leur peau, qui paraît pourtant lisse, est faite de petits denticules qui écorchent comme du papier de verre.

Le requin-chat pygmée est le plus petit des requins. Il mesure moins de 50 cm.

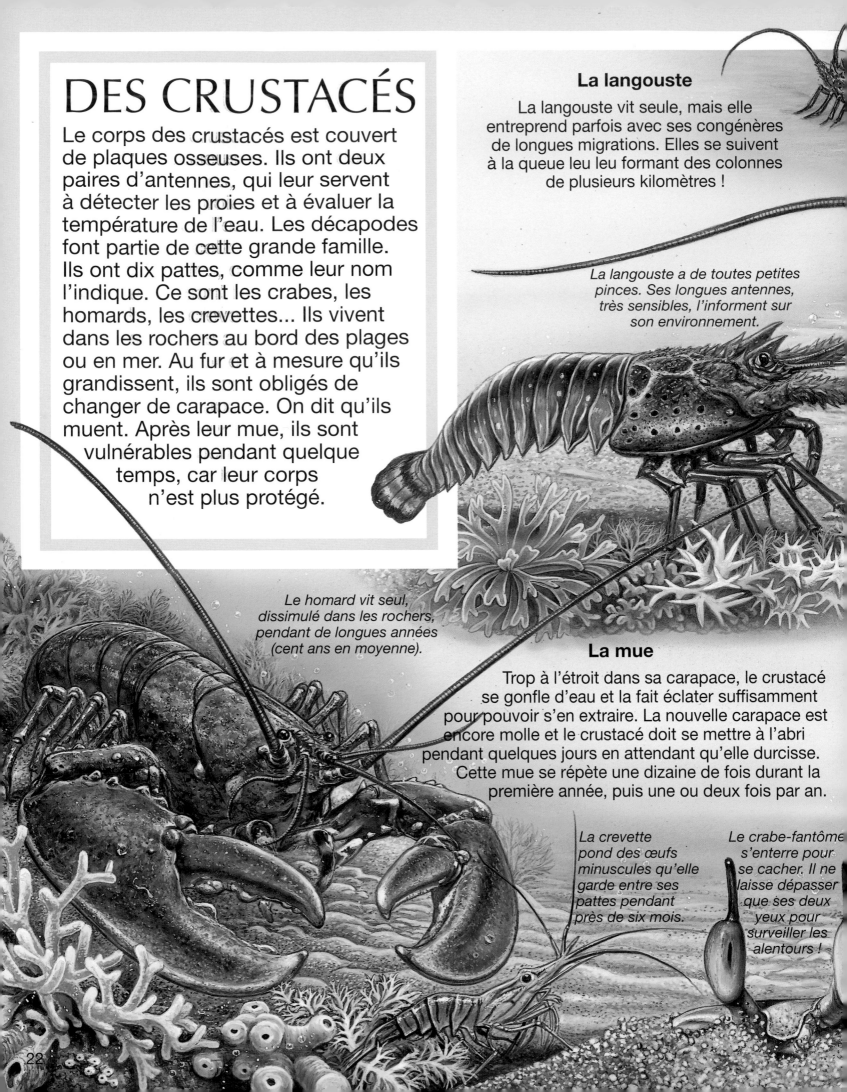

DES CRUSTACÉS

Le corps des crustacés est couvert de plaques osseuses. Ils ont deux paires d'antennes, qui leur servent à détecter les proies et à évaluer la température de l'eau. Les décapodes font partie de cette grande famille. Ils ont dix pattes, comme leur nom l'indique. Ce sont les crabes, les homards, les crevettes... Ils vivent dans les rochers au bord des plages ou en mer. Au fur et à mesure qu'ils grandissent, ils sont obligés de changer de carapace. On dit qu'ils muent. Après leur mue, ils sont vulnérables pendant quelque temps, car leur corps n'est plus protégé.

La langouste

La langouste vit seule, mais elle entreprend parfois avec ses congénères de longues migrations. Elles se suivent à la queue leu leu formant des colonnes de plusieurs kilomètres !

La langouste a de toutes petites pinces. Ses longues antennes, très sensibles, l'informent sur son environnement.

Le homard vit seul, dissimulé dans les rochers, pendant de longues années (cent ans en moyenne).

La mue

Trop à l'étroit dans sa carapace, le crustacé se gonfle d'eau et la fait éclater suffisamment pour pouvoir s'en extraire. La nouvelle carapace est encore molle et le crustacé doit se mettre à l'abri pendant quelques jours en attendant qu'elle durcisse. Cette mue se répète une dizaine de fois durant la première année, puis une ou deux fois par an.

La crevette pond des œufs minuscules qu'elle garde entre ses pattes pendant près de six mois.

Le crabe-fantôme s'enterre pour se cacher. Il ne laisse dépasser que ses deux yeux pour surveiller les alentours !

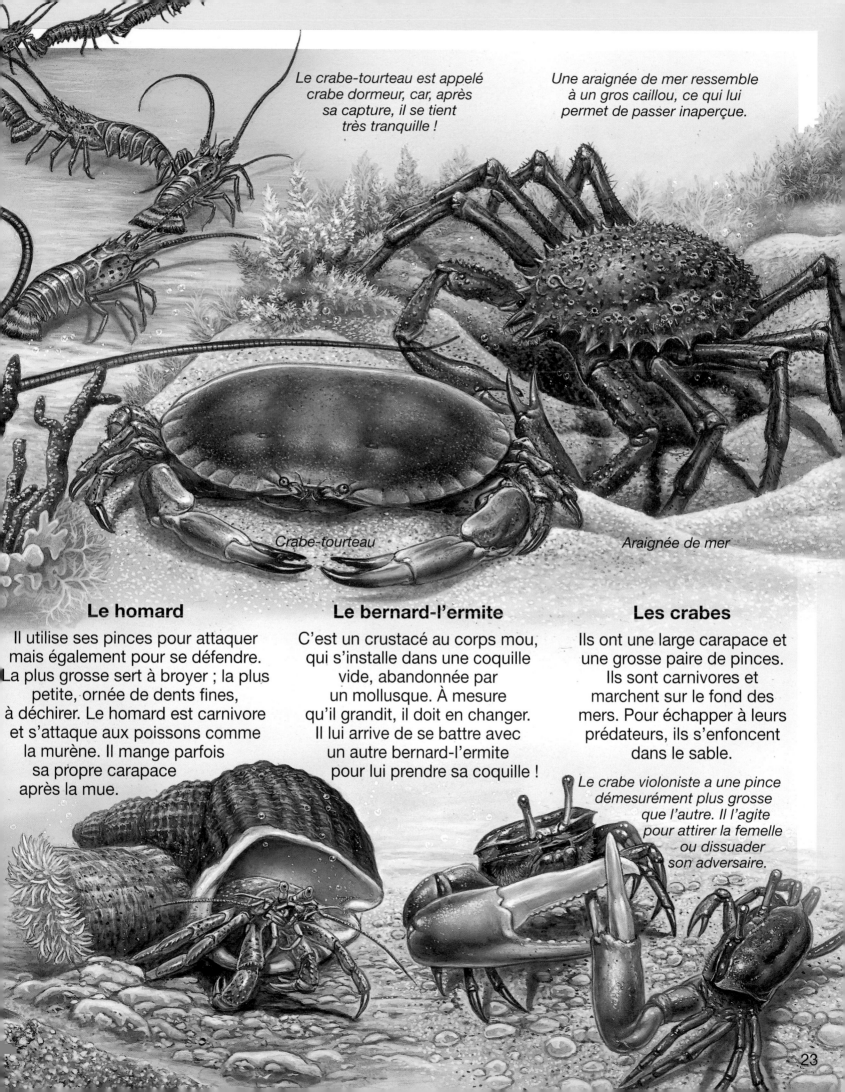

Le crabe-tourteau est appelé crabe dormeur, car, après sa capture, il se tient très tranquille !

Une araignée de mer ressemble à un gros caillou, ce qui lui permet de passer inaperçue.

Crabe-tourteau

Araignée de mer

Le homard

Il utilise ses pinces pour attaquer mais également pour se défendre. La plus grosse sert à broyer ; la plus petite, ornée de dents fines, à déchirer. Le homard est carnivore et s'attaque aux poissons comme la murène. Il mange parfois sa propre carapace après la mue.

Le bernard-l'ermite

C'est un crustacé au corps mou, qui s'installe dans une coquille vide, abandonnée par un mollusque. À mesure qu'il grandit, il doit en changer. Il lui arrive de se battre avec un autre bernard-l'ermite pour lui prendre sa coquille !

Les crabes

Ils ont une large carapace et une grosse paire de pinces. Ils sont carnivores et marchent sur le fond des mers. Pour échapper à leurs prédateurs, ils s'enfoncent dans le sable.

Le crabe violoniste a une pince démesurément plus grosse que l'autre. Il l'agite pour attirer la femelle ou dissuader son adversaire.

23

DES COQUILLAGES

Les coquillages sont des mollusques marins, qui protègent leur chair molle dans une coquille dont la forme, l'épaisseur, le dessin varient selon les espèces.
Les mollusques ont des branchies pour capter l'oxygène de l'eau et un cœur qui fait circuler le sang. Ils pondent de très nombreux œufs. La plupart d'entre eux sont sensibles à la lumière. Certains se fixent à un endroit et n'en bougent plus ; d'autres, plus nombreux, se déplacent en quête de nourriture, d'un partenaire, ou pour fuir un ennemi.

Les moules vivent fixées à un rocher auquel elles s'agrippent à l'aide de petits filaments.

Saint-Jacques

Pour se déplacer, la coquille Saint-Jacques ouvre et referme sa coquille très rapidement et s'éloigne par bonds pour échapper à l'étoile de mer, son pire ennemi.

La coquille Saint-Jacques

Elle se repose sur le sable mais reste attentive : son manteau est bordé de petits yeux et de tentacules qui détectent l'approche d'un prédateur.

Palourdes

Coques

Les coques et les palourdes

Elles s'enfouissent dans le sable pour se mettre à l'abri. Elles se déplacent en ouvrant et en refermant rapidement leur coquille.

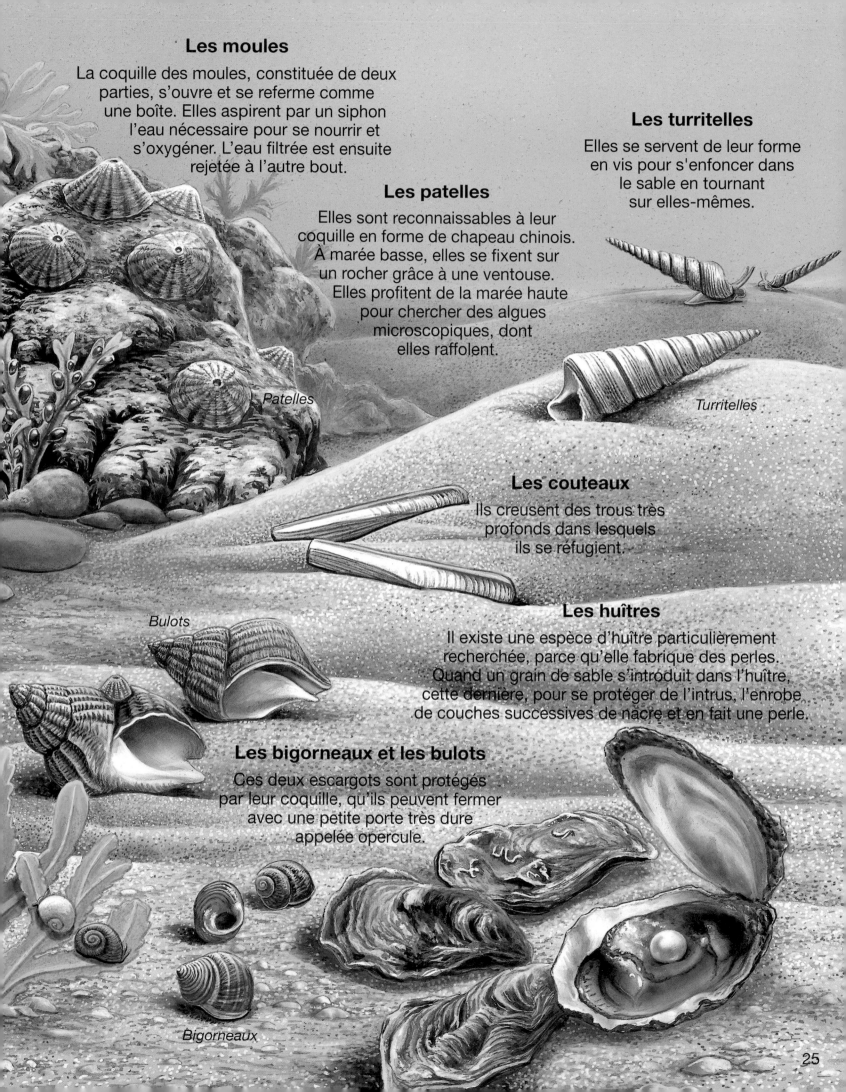

Les moules

La coquille des moules, constituée de deux parties, s'ouvre et se referme comme une boîte. Elles aspirent par un siphon l'eau nécessaire pour se nourrir et s'oxygéner. L'eau filtrée est ensuite rejetée à l'autre bout.

Les turritelles

Elles se servent de leur forme en vis pour s'enfoncer dans le sable en tournant sur elles-mêmes.

Les patelles

Elles sont reconnaissables à leur coquille en forme de chapeau chinois. À marée basse, elles se fixent sur un rocher grâce à une ventouse. Elles profitent de la marée haute pour chercher des algues microscopiques, dont elles raffolent.

Patelles

Turritelles

Les couteaux

Ils creusent des trous très profonds dans lesquels ils se réfugient.

Les huîtres

Il existe une espèce d'huître particulièrement recherchée, parce qu'elle fabrique des perles. Quand un grain de sable s'introduit dans l'huître, cette dernière, pour se protéger de l'intrus, l'enrobe de couches successives de nacre et en fait une perle.

Bulots

Les bigorneaux et les bulots

Ces deux escargots sont protégés par leur coquille, qu'ils peuvent fermer avec une petite porte très dure appelée opercule.

Bigorneaux

LES TORTUES MARINES

Ces reptiles vivent entre 40 et 75 ans, dans les eaux tropicales et tempérées, où ils se nourrissent généralement de crabes, de mollusques et de poissons. Leur taille varie de 75 cm à 2 m selon les espèces, toutes très menacées. Ces animaux lourds et lents ont peu de moyens de défense et sont victimes de la pollution, des filets de pêche et surtout de l'intérêt porté à leurs écailles, leurs œufs et leur chair. Seules les femelles gagnent la terre ferme pour pondre sur la plage où elles sont nées.

Les tortues s'orientent en fonction de la lumière. Pendant les nuits sans lune, elles perdent donc tout sens de l'orientation.

La migration et la ponte

Les tortues entreprennent de longs voyages, de plus de 2 000 km parfois, pour aller pondre. À la tombée de la nuit, les femelles sortent de l'eau et rampent sur le sable des plages. Après s'être suffisamment éloignées du rivage, elles creusent un trou profond avec leurs pattes arrière et déposent leurs œufs par 50 ou 200. Puis elles les recouvrent et les abandonnent à leur sort. Certaines renouvellent cette opération à plusieurs reprises pendant la saison des amours.

De la terre à la mer

Descendant d'animaux terrestres, les tortues marines ont des poumons et remontent de temps en temps à la surface pour respirer. Elles captent également l'oxygène de l'eau par la peau. Leurs pattes avant sont en forme de nageoire. Elles effectuent des mouvements de pagaie et peuvent atteindre 30 km/h.

Un reptile à bec

Les mâchoires de la tortue n'ont pas de dents et sont recouvertes d'un bec. Certaines espèces mangent uniquement des végétaux. Plus généralement, les tortues marines sont carnivores. Malheureusement, il arrive qu'en croyant attraper une méduse elles avalent des sacs en plastique qui les étouffent.

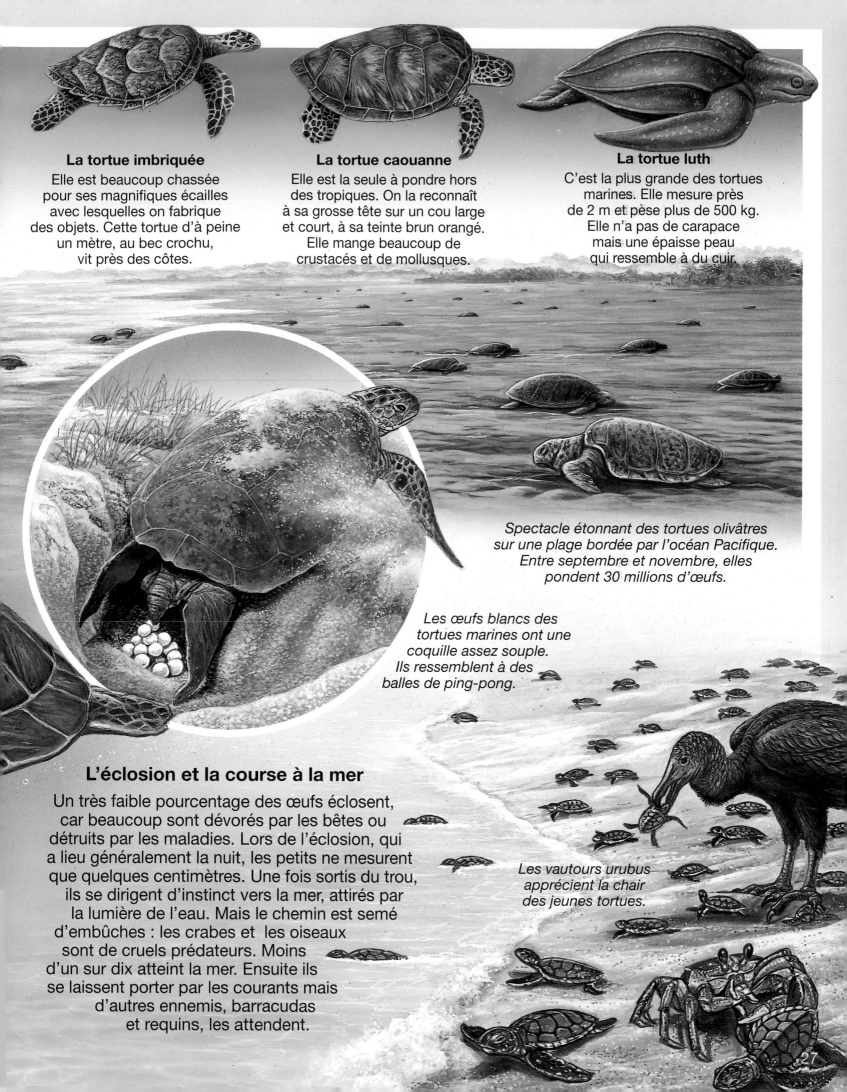

La tortue imbriquée

Elle est beaucoup chassée pour ses magnifiques écailles avec lesquelles on fabrique des objets. Cette tortue d'à peine un mètre, au bec crochu, vit près des côtes.

La tortue caouanne

Elle est la seule à pondre hors des tropiques. On la reconnaît à sa grosse tête sur un cou large et court, à sa teinte brun orangé. Elle mange beaucoup de crustacés et de mollusques.

La tortue luth

C'est la plus grande des tortues marines. Elle mesure près de 2 m et pèse plus de 500 kg. Elle n'a pas de carapace mais une épaisse peau qui ressemble à du cuir.

Spectacle étonnant des tortues olivâtres sur une plage bordée par l'océan Pacifique. Entre septembre et novembre, elles pondent 30 millions d'œufs.

Les œufs blancs des tortues marines ont une coquille assez souple. Ils ressemblent à des balles de ping-pong.

Les vautours urubus apprécient la chair des jeunes tortues.

L'éclosion et la course à la mer

Un très faible pourcentage des œufs éclosent, car beaucoup sont dévorés par les bêtes ou détruits par les maladies. Lors de l'éclosion, qui a lieu généralement la nuit, les petits ne mesurent que quelques centimètres. Une fois sortis du trou, ils se dirigent d'instinct vers la mer, attirés par la lumière de l'eau. Mais le chemin est semé d'embûches : les crabes et les oiseaux sont de cruels prédateurs. Moins d'un sur dix atteint la mer. Ensuite ils se laissent porter par les courants mais d'autres ennemis, barracudas et requins, les attendent.

27

TABLE DES MATIÈRES

MDS : 293059
ISBN : 978-2-215-06689-7
© Groupe FLEURUS, 2002
Conforme à la loi n°49-956 du 16 juillet 1949
sur les publications destinées à la jeunesse.
Dépôt légal à la date de parution.
Imprimé en Italie (10-11)